ISBN 0-7172-3173-9

Dépôt légal 4e trimestre 1997
Bibliothèque nationale du Québec

Imprimé aux États-Unis

Disney

Le Livre de la jungle

GROLIER

C'était une journée tranquille au fin
fond de la jungle indienne. La panthère
Bagheera marchait le long de la rivière.
Soudain, un bruit étrange vint rompre
le silence. Bagheera alla voir ce qui faisait
ce bruit. C'était un petit d'homme! Le bébé
était dans un panier reposant au fond
d'une embarcation à moitié coulée.

Bagheera eut pitié du bébé. Il transporta
prudemment le panier sur la rive.

«Le petit d'homme ne survivra jamais sans
une maman», se dit Bagheera. «Que vais-je
faire de toi, mon petit?» demanda-t-il au
bébé qui souriait.

Bagheera se rappela qu'une famille de loups
vivait non loin de là. Les loups accepteraient
peut-être d'adopter le petit d'homme.

Bagheera apporta le panier à la tanière des
loups. Lorsque la maman loup et ses petits
trouvèrent le bébé souriant, ils sourirent aussi.
Rama, le papa loup, n'était pas très content au
début, mais il finit lui aussi par sourire au
petit d'homme.

Les loups
appelèrent le
petit d'homme
Mowgli.

Pendant dix
ans, Mowgli
vécut heureux
dans la jungle
et apprit de
nombreuses
choses des
loups.

Il apprit comment courir
comme un loup.

Il apprit comment se gratter comme un loup.
Il apprit même comment faire le mort comme
un loup, juste pour rire!

Puis, un jour, les animaux de la jungle eurent
de mauvaises nouvelles. Shere Khan, le tigre,
était de retour. Le féroce tigre détestait tous
les hommes, car un chasseur avait une fois tiré
sur lui. Mowgli était donc en danger! Tard cette
nuit-là, la meute de loups tint une réunion avec
Bagheera au Rocher du Conseil.

«Même notre meute au complet ne fait pas le
poids contre Shere Khan», déclara Akela, le chef
de la meute. «Le petit d'homme doit partir.»

«Mais je le considère comme mon propre petit», protesta Rama. «Où ira-t-il?»

Bagheera prit alors la parole. «Je peux peut-être vous aider. Je connais un village d'hommes où Mowgli sera en sécurité. Je vais l'y conduire.»

Il fut donc convenu que Bagheera et Mowgli partiraient le lendemain matin. Mais emmener Mowgli au Village des Hommes ne fut pas facile.

«Ce n'est pas chez moi», protesta Mowgli, tandis que Bagheera tentait de le tirer en bas d'un arbre. «Je ne veux pas quitter la jungle.»

À contrecœur, Mowgli se mit en route avec
Bagheera. La nuit tombait. En passant près
d'un grand arbre, Bagheera décida qu'ils y
passeraient la nuit.

«Endors-toi», dit-il à Mowgli en s'installant
sur une grosse branche.

Mais ils n'étaient pas seuls. Kaa le serpent était caché dans l'arbre, et il pensait que Mowgli ferait un délicieux repas! «Oui, petit d'homme», siffla Kaa en ondulant au bas de l'arbre. «Endors-toi.»

Mowgli se réveilla et vit Kaa.
«Va-t-en. Laisse-moi tranquille»,
dit-il au serpent.

Mais Kaa le regarda avec un sourire méchant
et dit, «N'aie pas peur, petit d'homme, fffffais-moi
confiance. Endors-toi.»

Kaa fixa Mowgli dans les yeux. Mowgli fixa
Kaa à son tour, mais la tête commença à lui
tourner. Kaa l'avait ensorcelé. Le serpent
enroula sa longue queue autour de Mowgli.

Bagheera se réveilla juste à temps! «Qu'est-ce que tu fais, Kaa?» cria-t-il. Bagheera interposa sa grosse patte avant que le serpent puisse faire du mal à Mowgli. Kaa tomba au sol. BOUM!

«Tu viens de ffffaire une grave erreur, Bagheera», siffla Kaa en s'éloignant en ondulant.

De retour sur la haute branche,
Bagheera dit, «Tu vois, Mowgli, la jungle est
trop dangereuse pour toi. Tu seras plus en
sécurité au Village des Hommes.»

«Mais je veux vivre dans la jungle. Je peux
me débrouiller seul», déclara Mowgli.

«Non», dit Bagheera, doucement. «Ta place
est au Village des Hommes. Nous nous y rendrons
demain matin.»

Mowgli ne voulait pas vivre au Village des Hommes. Alors tôt le lendemain matin, avant le réveil de Bagheera, Mowgli s'enfuit.

«Je n'ai besoin de personne», se dit Mowgli.

Mais au bout de quelque temps, il se sentit très seul.

Puis Mowgli entendit quelqu'un chanter.

«Dibidi dou da, dibidi dé», chantait Baloo, un gentil gros ours.

Baloo remarqua que Mowgli était seul. «Salut, petit bonhomme», dit Baloo avec un grand sourire.

Mowgli et Baloo devinrent bien vite des amis.

«Veux-tu m'apprendre à être
un ours?» lui demanda Mowgli.
«Avec plaisir!» répondit
Baloo.

Baloo montra à Mowgli comment
danser comme un ours et comment
grogner comme un ours . . .

... et même
comment se battre
comme un ours.

«Je veux rester dans la jungle avec toi, Baloo»,
dit Mowgli.

Plus tard, Baloo et Mowgli allèrent se baigner.
«Je vais te montrer tout ce qu'il faut savoir pour
bien vivre comme un ours, Mowgli», dit Baloo,
pendant que les deux amis flottaient sur la rivière.

«J'adore être un ours», répliqua Mowgli, d'une
voix enjouée.

Ils ne s'aperçurent ni l'un ni l'autre que des singes les observaient. Les singes voulaient amener Mowgli à leur chef, le roi Louis.

Avant que Baloo ait pu les en empêcher, les
singes capturèrent Mowgli!

«Au secours, Baloo!» cria Mowgli.

Mais les singes le balancèrent rapidement dans
les arbres. En peu de temps, ils étaient déjà loin
de la rivière. Quand les singes arrivèrent à leur
demeure, ils conduisirent Mowgli au roi Louis.

«Ainsi, tu es un petit d'homme», dit le roi Louis.
«Un peu fou.»

«Je ne suis pas fou. C'est vous qui l'êtes!»
dit Mowgli.

«Tiens, mange des bananes», dit le roi Louis, qui en mit deux dans la bouche de Mowgli.

«Écoute bien», poursuivit le roi. «Je peux faire en sorte que tu restes dans la jungle. Est-ce que tu acceptes ce marché?»

«Oui, mon roi», répondit Mowgli.

Les singes décidèrent de célébrer. Tout le monde se mit à danser.

Pendant ce temps, Baloo avait trouvé les
anciennes ruines où vivaient les singes. Afin de
sauver Mowgli, il se déguisa en gros singe et
s'intégra à la fête en dansant. Baloo faisait
un excellent singe.

Le plan de Baloo fonctionna. Pendant
que les singes chantaient et dansaient,
il transporta Mowgli hors des ruines.

«Merci de m'avoir sauvé», dit Mowgli. «Je ne voulais pas être un singe. Je préfère être un ours, comme toi.»

«Mais tu n'es *pas* un ours, Mowgli», répliqua Baloo, tristement. «La jungle est beaucoup trop dangereuse pour toi. Ta place est au Village des Hommes.»

«Tu es comme Bagheera!» cria Mowgli. «Je ne veux pas aller au Village des Hommes! Je peux me débrouiller tout seul.»

Alors Mowgli quitta Baloo. Il ne s'aperçut pas qu'un orage était sur le point d'éclater.

Mowgli courut dans la jungle et se retrouva
soudain face à face avec Shere Khan! Le tigre
attendait ce moment. Le petit d'homme était
enfin seul dans la jungle.

«Est-ce que tu sais qui je suis, petit
d'homme?» demanda Shere Khan, en montrant
au garçon ses griffes acérées.

«Oui, mais je n'ai pas peur de vous», dit
Mowgli, bravement.

«Tu dois avoir peur. Tout le monde a peur
de moi», dit Shere Khan, d'un ton suffisant.

«Moi, vous ne m'effrayez pas», rétorqua Mowgli.
«Ah, tu as du cran pour quelqu'un de si petit»,
dit le tigre. «Tu mérites une chance et je te la
donne. Je vais fermer les yeux et je vais compter
jusqu'à dix. La chasse n'en sera
que plus intéressante.»

Shere Khan commença à compter.
«Un, deux trois . . .»
Mais Mowgli ne prit pas la fuite.
Il saisit plutôt un bâton.

Soudain, on entendit un puissant coup de tonnerre. L'orage venait d'éclater.

Au moment où Shere Khan allait attaquer
Mowgli, un éclair déchira le ciel. La foudre
frappa un arbre et déclencha un feu.

Shere Khan poussa un rugissement d'horreur.
Il avait peur du feu!

Mowgli réalisa que
Shere Khan avait peur.
Il saisit une branche
enflammée et fit
fuir le tigre.

Puis la pluie éteignit
le feu.

Quelques instants
plus tard, Bagheera
et Baloo arrivèrent
ensemble. Ils étaient tous deux à la
recherche de Mowgli et ils avaient entendu le
rugissement de Shere Khan. Ils furent heureux
de voir que Mowgli était sain et sauf.

«Contents de voir que tu vas bien, petit bonhomme», dit Baloo à Mowgli qui courut se jeter dans les bras du gros ours.

«Baloo et moi étions inquiets», ajouta Bagheera.

Mowgli serra aussi Bagheera dans ses bras et il raconta sa rencontre avec Shere Khan. Lorsqu'il eut terminé son histoire, la nuit tombait.

Alors les
trois amis
trouvèrent
un endroit
sûr pour se
reposer. Ils
s'endormirent
rapidement.

Le lendemain matin, ils se rendirent tous les
trois à la rivière près du Village des Hommes.
À leur arrivée, ils entendirent quelqu'un chanter.
Ils s'approchèrent doucement. Une jeune fille
était venue chercher de l'eau à la rivière.

«Qu'est-ce que c'est?» demanda Mowgli.

«C'est une petite d'homme», dit Bagheera.

Mowgli n'avait jamais vu de petite d'homme
avant. Il décida d'aller voir de plus près. En
approchant, il fit un peu de bruit. La petite
fille se retourna et l'aperçut. Elle sourit
à Mowgli et échappa son pot d'eau.

«Elle l'a fait exprès», dit Baloo. Bagheera et lui observaient la scène, cachés derrière des buissons.

«Absolument, mon ami», répliqua la panthère avec un sourire.

Mowgli s'empressa d'aller ramasser le pot de la jeune fille et de le remplir à nouveau. Puis il la suivit. Peut-être qu'il allait aimer vivre au Village des Hommes après tout!

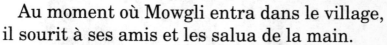

Au moment où Mowgli entra dans le village, il sourit à ses amis et les salua de la main.

«Baloo, mon ami, dit Bagheera, Mowgli va maintenant vivre au Village des Hommes. Il va nous manquer, mais sa place est ici.»

«Oui, approuva Baloo, mais je suis toujours d'avis qu'il aurait fait un ours extraordinaire.»